Pieke zoekt
haa

Anne Don

Zwijsen

LEESNIVEAU

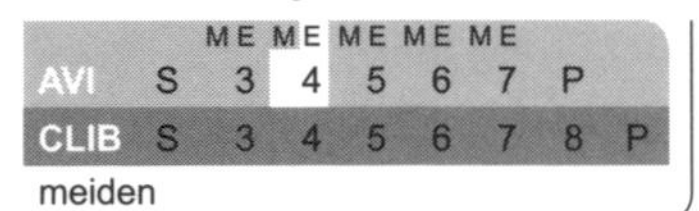

Toegekend door Cito i.s.m. KPC Groep

1e druk 2011

NUR 286
ISBN 978.90.487.0816.1

Tekst: Annemarie Bon
Illustraties: Marie José van der Linden
Vormgeving: Rob Galema

Voor België:
Uitgeverij Zwijsen.be, Antwerpen
D/2011/1919/53

Inhoud

1. Twee moeders en geen vader

Ik ben een heel gewoon meisje, vind ik zelf.
Ik ben elf jaar, zit in groep acht en heb een beugel.
Mijn beste vriendin is Lotje.
We houden van samen keten, winkelen in de stad en op de computer spelen.
We hebben samen altijd de grootste lol.
Heel gewoon toch?
Alleen is er één ding anders dan anders.
Ik heb twee moeders en geen vader.
Een van mijn moeders is mama.
De ander heet Malin.
Ik noem ze M en M.
Ik ken geen enkel kind zonder vader.
Ik zeg altijd dat mijn moeder gescheiden is van mijn vader.
Dat is bij zo veel kinderen.
Maar in het echt heb ik dus géén vader.
Er is niemand die mijn geheim kent.
Behalve Lotje dan.
Die weet werkelijk alles van me.
Maar verder weet niemand het.
Dat dacht ik in elk geval altijd.
Tot nu op school.

Brit zat al een tijd te smiespelen in de klas.
Nu, na school, staat ze op me te wachten bij het fietsenrek.

'Mijn vader is piloot,' zegt ze.
Ze kijkt me treiterend aan met die pestblik van d'r.
'En jouw vader?'
'Mijn vader is uitvinder,' zeg ik.
'Hij werkt in het buitenland.'
'Waar dan?' vraagt Brit.
'In de Verenigde Staten,' zeg ik snel.
Ik kijk om me heen of Lotje er al aankomt.
Brit gaat onverstoorbaar verder.
'Wel opvallend dat niemand hem kent.'
'Dat is gewoon toeval,' zeg ik.
Ik wil weglopen.
Brit houdt me tegen.
'In groep zes zei je dat Guus Meeuwis je vader was.'
Ik voel mijn wangen rood worden.
'Dat heb je vast niet goed verstaan.'
'Echt wel,' zegt Brit.
Er staat ondertussen een groepje kinderen om ons heen.
'En in groep vijf zei je dat hij een gevaarlijke piraat was.'
Ik voel me alsof de grond onder me weg zakt.
Iedereen heeft me door.
Ze weten dat ik mijn vader helemaal niet ken.
Waar blijft Lotje toch?
'Jij fantaseert alles bij elkaar!' roept Brit.
'Je bent een leugenaar.
Die vader van je zit zeker in de gevangenis.'
Ik geef Brit een stomp.

Dat had ik beter niet kunnen doen.
Binnen een minuut liggen er wel vijf kinderen op me.
En na nog een minuut heb ik een bloedneus, zes blauwe plekken en een scheur in mijn broek.
Ze slaan me.
Ze trappen me.
Ze roepen: 'Leugenaar.'
Ik haat Brit.
Ik haat haar meelopers.
En ik haat het dat ik niet weet wie mijn vader is.
Op dit moment neem ik mijn besluit.
Het moet nu eindelijk maar eens afgelopen zijn.
Ik wil weten wie mijn vader is.
Daar heb ik recht op.
Ik zal het uitzoeken.
Ik moet er achter zien te komen.

2. Mijn vader draagt een rokje

Lotje is echt een supervriendin.
Ik zie haar vanuit mijn dichtgeslagen oog komen aanlopen.
'Kappen!' roept ze.
Ze jaagt Brit en d'r aanhang weg.
'Weg jullie, rotmeiden en rotjongens!
Kun je wel, met zijn allen tegen één?'
Iedereen gehoorzaamt Lotje en druipt af.
Maar ja, ze ziet eruit als een briesende stier.
Daar word je vanzelf bang van.
Dan hurkt Lotje bij mij neer.
'Jeetje,' zegt ze.
'Hoe is dit zo gekomen?
Waar ging die ruzie over?'
'Ze lachten me uit om mijn vader.
Ze noemden me een leugenaar.
En daarom gaf ik Brit een stomp.
Nou ja, je hebt de afloop gezien.'
Lotje grinnikt.
'Net goed voor die stomme Brit.
Heb jij veel pijn?'
'Het valt wel mee,' zeg ik.
'Gelukkig,' zegt Lotje.
'Maar het is wel afschuwelijk.
Wat een vals loeder is die Brit toch.
Zal ik met je mee naar huis lopen?'
'Fijn,' zeg ik.
'Ik heb wel een steuntje nodig.'

Super
vriendin

‘Kun je niet goed lopen?’ vraagt Lotje.
‘Jawel,’ zeg ik, ‘maar ik wil dat mama me vertelt wie mijn vader is.’
Lotje slaat haar armen om me heen.
‘Daar ben ik het helemaal mee eens.
Dat wordt de hoogste tijd.
Ik zal je helpen!’

Ik heb mama al duizend keer gevraagd wie mijn vader is.
Ze geeft dan altijd heel vaag antwoord.
Bijvoorbeeld: ‘Dat vertel ik later wel eens.’
Of: ‘Wat doet het ertoe?
Je hebt Malin en mij toch?
Heb je niet genoeg aan twee moeders?’
Maar als ze nu niet eerlijk antwoordt, loop ik weg.
Geen vader, dan ook geen moeder!
Dan zal ze merken hoe erg ik het vind.

Het is mama’s thuisdag vandaag.
M en M doen om de beurt het huishouden.
Het komt goed uit dat zij er is.
‘Wat zie je eruit!’ roept mama.
Ze schrikt duidelijk van mijn blauwe plekken.
‘Wat is er in ’s hemelsnaam met je gebeurd?’
Ik begin te huilen.
Er komen brokken woorden uit.
Mama snapt er helemaal niks van.
‘Een uitvinder in de Verenigde Staten?’
Het is maar goed dat Lotje erbij is.

Zij legt mama alles haarfijn uit.
Mij lukt het niet zo goed met al die tranen.
Lotje vertelt dat ik gepest word op school, omdat ik steeds een nieuwe vader verzin.
Dat ze me uitlachen en leugenaar noemen.
Ergens vind ik het ook zielig voor M en M.
Kunnen zij er wat aan doen?
De ene vrouw valt op mannen, de andere op vrouwen.
Dat kan.
Dat is allemaal heel gewoon.
Maar ja, als je niet weet wie je vader is?
Dat is zó niet normaal.

Mama knikt.
'Het spijt me vreselijk,' zegt ze.
'Ik ben nogal stom geweest.
Ik had het eerder moeten vertellen.
Ik schaamde me een beetje.
Had ik maar geweten dat je gepest wordt.
Zul je me dat voortaan altijd vertellen?'
Ik knik en veeg nog een laatste traan weg.
We gaan met zijn drieën op de bank zitten.
Mama aan mijn linkerzij.
Lotje aan de mijn rechterzij.
'Ik heb je vader ontmoet op een vakantie,' zegt mama.
'Ik vond hem echt hartstikke leuk.
Hij was straatmuzikant en speelde doedelzak.
Zo verdiende hij geld voor zijn vakantie.
Hij droeg een kilt als een echte Schot.

Hij droeg die kilt alleen voor zijn optreden.
Toch vind ik een man met een rokje wel grappig!'
Ik stoot haar aan. 'Meen je dat?'
'Geintje,' zegt mama lachend.
'Vlak na die vakantie leerde ik Malin kennen.
Ik werd meteen verliefd op haar.
En toen merkte ik pas dat ik zwanger was.
Je was heel erg welkom.
We wilden heel graag een kind.
Ik heb het je vader nooit verteld.
Maar ik kan je wel zeggen dat hij de enige man
in mijn leven was.
Meer weet ik helaas niet van hem.
Ik weet niet waar hij woont of wat hij doet.'
'Ook niet hoe hij heet?' roep ik.
'Ja, dat weet ik natuurlijk wel,' zegt mama.
'Hij heet Jack McDonald.'
'En waar was die vakantie?' vraagt Lotje.
'Ik was op trektocht in Schotland,' zegt mama.
'Maar in Schotland heet iedereen McDonald.'

3. Meer dan duizend Jack McDonalds

Lotje en ik stormen samen de trap op.
We kruipen meteen achter de computer.
Die staat gelukkig nog aan.
'Naar Facebook,' roep ik.
'En wel nu meteen.'
Tot mijn schrik zie ik dat mama gelijk heeft.
We vinden al snel meer dan duizend Jack McDonalds.
Ik bekijk de foto's met mijn neus tegen het beeldscherm geplakt.
Zou die man met die scheve tanden mijn vader zijn?
Die kan ook wel een beugel gebruiken.
Of die met die wilde bos rood krulhaar?
Ik heb zelf ook rode krullen.
Ik let er ook op hoe oud ze zijn.
Iemand van twintig kan nooit mijn vader zijn.
Mijn vader moet zeker wel een jaar of 35 zijn.
Ongeveer zo oud als M en M.
Wie o wie is mijn vader?
En misschien zit hij niet eens op Facebook!
Dadelijk is hij zo'n digibeet.
'Verzin een list, Lotje,' zeg ik.
'Jij bent de slimste van ons tweetjes.'
Maar ook Lotje heeft geen idee.
'Dan is er maar één oplossing,' zeg ik.
'Ik ga ze gewoon allemaal mailen.
Dan vraag ik of ze mijn moeder kennen, van een

Harry Potter

vakantie twaalf jaar geleden.'
Lotje knikt instemmend.
'Er zit niks anders op.'
'Help jij me met Engels?' vraag ik.
'Dat lukt me vast niet.
Ik ben met Nederlands al slecht in spelling.
Met Engels is het helemaal een ramp.
Jij kunt dat veel beter.'

Na een uur hebben we een mooie tekst klaar.
En dan begint het grote werk.
Ik knip de tekst uit de ene mail.
En plak hem in de volgende mail.
Ik baal ervan als we gaan eten.
Ik wil doorgaan met mijn speurwerk.
Lotje blijft mee-eten.
Aan tafel ben ik met mijn gedachten op
Facebook.
'Is er iets?' vraagt Malin.
'Je bent zo stilletjes.'
'Laat haar maar,' zegt mama.
Zij denkt vast dat ik aan mijn vader denk.
Ze weet niet waar ik mee bezig ben.
Dat blijft voorlopig even mijn geheim.
'Ik kan die biefstuk niet goed kauwen,' zeg ik.
Een prima smoes voor als je niks wilt zeggen.
Waar een beugel al niet goed voor is.

Na het eten wacht me een verrassing.
Er zijn al minstens tien mails binnen!
Wat ben ik blij dat Lotje er nog is.

Lotje leest ze voor.
Ik luister gespannen.
Zou er een mail van mijn vader tussen zitten?
Maar helaas pindakaas.
Niemand was twaalf jaar geleden met mijn moeder op vakantie.
'Geeft niks,' zeg ik.
'Ik geef de moed zomaar niet op.
Ik kan al elf jaar zonder vader.
Daar kan nog wel een tijdje bij.'
We gaan nog een uur door met mailen.
Er komen nog zes mails terug.
Geen van mijn vader.
Dan moet Lotje naar huis.
Ik zelf ga net zolang door tot mijn ogen dichtvallen.
Morgen gaan Lotje en ik verder.
Ik wil mijn vader vinden.
Het zal me lukken.
Hoe dan ook.

4. Ik ben je dochter

Al een week ben ik aan het zoeken.
Ik ben de tel kwijt, zo veel mails heb ik verstuurd.
Soms geef ik bijna de moed op.
Steeds maar nee horen is erg vervelend.
Met mijn Engels lukt het eigenlijk best.
Ook zonder Lotje.
Ik begrijp Engels hartstikke goed.
Spreken lukt ook best.
Alleen spelling is een probleem.
Maar het kan me niet meer schelen als ik een spelfout maak.
Engels is voor mij een vreemde taal.
Logisch dat ik fouten maak.

Weer zit ik nu achter mijn computer.
Er zijn zeventien mails binnen op Facebook.
De eerste is het niet.
De tweede ook niet.
Dagelijks hoor ik: nee, nee, nee.
Ze waren twaalf jaar geleden niet op vakantie in Schotland.
Ze hebben nog nooit van mijn moeder gehoord.
En nee, doedelzak spelen is wel het laatste.
Maar dan houd ik mijn adem in.
Ik lees het bericht wel tien keer opnieuw.
Het staat er echt.
En ik begrijp het goed, al is het Engels.

Ja, ik herinner me je moeder nog als de dag van gisteren.
Hoe is het met haar?
En hoe heb jij me in 's hemelsnaam gevonden?

Ik zie dat hij online is.
En schrijf meteen een bericht terug.

Met mijn moeder gaat het goed.
Ze is getrouwd met Malin.
Ik ben hun dochter.
Dat wil zeggen: ik ben mama's dochter.
En ik denk ook die van jou.

Het duurt even.
Dan komt er een bericht.

Dat is schrikken!
Een dochter?
Is dat waar?
Zullen we eerst eens vrienden worden op Facebook?

Ik tik terug.

Normaal klik ik geen vreemde mannen aan, maar echt vreemd ben je dus niet.
Even een vraag om zeker te zijn dat je de echte Jack bent.
Herinner je je nog iets opvallends aan mama?

Het antwoord komt snel.
Ze was tamelijk lang.

Ik klik hem aan en grinnik.
Tamelijk lang ...
Ha ha, mama zou madame Mallemour kunnen zijn.
Maar het klopt, ik heb mijn vader gevonden!
Mijn Jack.
Zijn foto is heel vaag.
Hij draagt een hoed, zodat je zijn gezicht niet goed ziet.
Dus dat is nou mijn vader.
Ik krijg alweer een berichtje van hem.

We zijn er allebei stil van, hè?
Zal ik eerst eens met je moeder praten?
Kun je mij haar e-mailadres geven?

Ik geef Jack mijn moeders e-mail.
Wat een rare wereld, denk ik.
Maar ik voel me zo gelukkig.
En zo blij als een pluisje in de wind, dat een heerlijk avontuur te wachten staat.
Dan loop ik naar beneden.
Ik wil het mama eerst zelf zeggen.
Tussen al die duizend Jack McDonalds heb ik de mijne gevonden.

5. Naar de film op de boot

'We varen!' roep ik. 'Kom nou kijken!'
Lotje ligt languit op het tweepersoonsbed.
We hebben onze eigen hut op deze enorme veerboot.
M en M hebben een hut naast die van ons.
Lotje is slim en durft alles, maar soms is ze zo verschrikkelijk lui.
Het liefst zou ze een eigen robot hebben.
Om haar in bed naar school te rijden.
En om haar op haar wenken te bedienen.
Ik trek haar omhoog.
Met onze neuzen tegen elkaar turen we uit de patrijspoort.
Op de pier staan mensen te zwaaien.
Ze worden steeds kleiner.
De golven worden juist steeds hoger.
'Dag Nederland!' roep ik.
'Dag Schotland, we komen eraan!
Joepie!'
Ik voel het avontuur door mijn bloed kriebelen.
We gaan ein-de-lijk naar mijn vader toe.
Jack woont op het eiland Uist.
Dat ligt in het noordwesten van Schotland.
De reis ernaartoe duurt alleen al drie dagen.
Nog een paar nachtjes slapen.
Eind van deze week zie ik hem, al kan ik het nog steeds niet geloven.

'Pieke, pas nou op,' zegt Lotje.
'Hou er rekening mee dat het ook kan tegenvallen.'
'Nee,' zeg ik, 'het kan niet tegenvallen.
Over een week weet ik eindelijk wie hij echt is.'
'Stop je dan ook met al die verhalen van je?' vraagt Lotje.
Ze knipoogt naar me.
'Vertel je dan alleen nog maar de waarheid?'
'Beloofd,' zeg ik.
'Zweer het,' zegt Lotje.
Ze steekt haar hand uit naar me.
Ik leg mijn hand op de hare.
'Ik zweer dat ik nooit meer iets zal fantaseren over mijn vader,' zeg ik.
'Ik zal niet zeggen dat hij Johnny Depp is.
Of een beroemde uitvinder.
Hij heet gewoon Jack.'
'Hmm,' zegt Lotje.
Ze kijkt me aan alsof ze het nog steeds niet vertrouwt.
'En geen foto's van allerlei helden meer?'
'Nee,' beloof ik plechtig.
'Ik zal een hele serie foto's van Jack maken.
Dan kan ik toch af en toe een nieuwe laten zien.
Maar wel steeds eentje waar hij op staat.'
'Afgesproken,' zegt Lotje, 'dus geen voetballers, filmsterren en vuurspuwers meer?'
Ik knik braaf.
'Zullen we het schip gaan verkennen?' stel ik voor.

‘Ik ben onze hut nog aan het verkennen,’ zegt Lotje.
‘En de Noordzee.
Daar kun je naar blijven kijken.’
‘Smoesjes!’ zeg ik.
‘Luilak, buiten aan dek kun je de zee nog veel beter zien.’
We trekken onze schoenen aan en doen een warme trui aan.
Ik stop het pasje van de hut in mijn broekzak.
‘Zullen we eerst naar het hoogste dek gaan?’ vraag ik.
‘Met de lift!’ zegt Lotje.
Ik geef haar maar haar zin.

Op dek zeven hangen we over de reling.
De zoute zeemist maakt onze wangen nat.
De golven spatten wit tegen de boot.
Ik maak de ene na de andere foto.
We blijven net zolang tot we rillen van de kou.
Daarna zakken we af naar de andere dekken.
Er zijn restaurants aan boord, maar ook winkeltjes en er is zelfs een gokhal.
Maar dan slaat mijn hart een roffel.
Er zijn ook filmzalen.
En ze draaien de nieuwste film van Harry Potter!
‘Daar gaan we naartoe,’ zeg ik.
‘Ik ga geld vragen aan M en M.’

Er is geen grotere fan van Harry Potter dan ik.
Ik ben niet goed in lezen.

Toch heb ik alle boeken van Harry Potter zelf gelezen.
Een beetje langzaam, dat wel.
Die boeken zijn zo spannend.
En dan gaan we nu naar de nieuwste film.
Een beter begin van deze reis bestaat er niet!
Dat is een goed teken, beslis ik.
Mijn vader is vast superleuk.
Ik vraag me af hoe ik me zal gedragen als ik hem zie.
Moet ik hem een kus geven of een hand?
Was het maar vast zo ver.

6. Mijn vader is zo groot als Hagrid

Ik was net aan het dromen over een magische spiegel.
Daarin zag ik mijn vader, levend en wel.
Net als in de boeken van Harry Potter.
Maar ik word gewekt door een harde toeter.
Ook Lotje schiet overeind.
'We zijn er bijna!' roept ze.
'We moeten ons aankleden.'
'Wat een haast,' zeg ik.
'Ben je soms ziek?'
Lotje lacht.
'Ik heb wel zin in een lekker Engels ontbijt.
Ik hoop dat ze chips hebben.'
'Chips?' vraag ik.
'Ja, dat is Engels voor patat.'
Patat als ontbijt!
Het moet niet gekker worden.
Maar ineens krijg ik ook haast.
Een patatje met, jammie!
Daar mogen ze me inderdaad voor wakker maken.

Het is ontzettend krap in onze kleine hut.
Zeker met ons.
Er liggen meer spullen naast onze rugzak dan erin.
Toch slagen we erin om supersnel klaar te zijn.
Net als ik de deurklink vastpak, klopt Malin op

de deur.
'Hebben jullie al honger?'
'Als een paard,' zegt Lotje.
'Als Hagrid,' zeg ik.

Even later hebben we een mooi plekje bij het raam.
Ik kijk verlangend naar de kust.
In de verte zie ik de witte rotsen al.
'Ik ga nog zo'n zoet koffiebroodje halen,' zegt Lotje.
'Daar word je dik van,' zegt Malin.
'Ben ik al,' zegt Lotje.
'Dus dat maakt niet uit.'
Ik loop mee naar het buffet en maak er een foto van.
Er is havermoutpap.
Maar er zijn ook witte bonen, bloedworst en tomaten.
En eieren met spek en patat dus.
Ik pak nog wat fruit en haverkoekjes.
Zou Jack normaal ook zo ontbijten?
Hij is tenslotte een echte Schot.
Als je dit elke dag eet, word je vanzelf een reus.
Ik stel me Jack voor als Hagrid.
Misschien is hij wel net zo groot.
En heeft hij nu wel net zo'n woeste baard.
Jack houdt vast ook veel van dieren.
Alleen heeft hij geen monsters in zijn tuin, zoals Hagrid.
Ik fantaseer dat hij herder is daar op dat eiland.

tea

Samen met zijn hond drijft hij de schapen voort.

'Wat zit je te dromen, Pieke?' zegt mama.
Ik kijk haar aan, maar hoef niks te zeggen.
Ze snapt het zo wel.
'Kom,' zegt Malin, 'we moeten onze spullen pakken.
Over drie kwartier zijn we er.'

Het is koud aan wal.
We nemen eerst de bus en daarna de trein.
De reis is prachtig.
We rijden verder naar het noorden.
Na een paar uur zijn we in Edinburgh.
Daar komt J.K. Rowling vandaan, de schrijfster van Harry Potter.
De trein rijdt door een diep dal.
Aan beide kanten zijn rotsen.
En boven op een rots staat een kasteel.
'Gaan we daar naartoe?' vraag ik.
'Ik denk dat dat morgenvroeg nog wel lukt,' zegt Malin.

We moeten een heel hoge trap op voor we op straat staan.
Ik voel me net zo lui als Lotje.
Mijn rugzak weegt zwaar en het regent.
'Is het nog ver lopen?' vraag ik.
'Waarom hebben wij geen koffers met wieltjes?'
Mama kijkt me streng aan.
'Omdat deze reis zo al duur genoeg is.'

Ik schaam me, en neem me voor om nooit meer te zeuren.
Nou ja, in elk geval niet hier in Schotland.
Mijn rugzak voelt ineens een stuk lichter.
En voor ik er erg in heb, zijn we er.
In een oud huis is de hele eerste verdieping met drie kamers en een keuken voor ons.
'Mogen Lotje en ik koken?' vraag ik.
'Hoeft niet,' lacht Malin.
'Wij hebben iets leukers bedacht.'
'Wat dan?' vraag ik.
Zijn de plannen veranderd?
Hebben ze een verrassing voor me?
Komt mijn vader vanavond al?
Malin lacht alleen maar.
'Ah, toe,' zeg ik.
'Fris je maar even op,' zegt Malin.
'Dan gaan we en dan weet je het snel genoeg.'

Even later lopen we weer door de stad.
De weg loopt omhoog en het is flink klimmen.
Dan gaan we naar links.
Voor een soort koffiehuis stopt Malin.
De rode olifant staat er op een uithangbord.
Achter de ruit staan foto's van Harry Potter.
En dan dringt het ineens tot me door.
Hier heeft J.K. Rowling Harry Potter geschreven.
Ik vlieg Malin om de nek.
'Wat lief van jullie!'
Ik voel me rijk met mijn twee moeders.
Ook al heb ik dan nooit een vader gehad.

Ik denk aan Harry Potter.
Die had helemaal geen ouders.

We gaan naar binnen.
'Waar hebben jullie zin in?' vraagt mama.
'In taart of liever iets hartigs?
Haggis misschien?'
'Nee!' roept Lotje.
'Alsjeblieft geen haggis!
Dat maken ze van hart, lever en longen van een lam.'
Ik ril ervan.
Bah, wat goor.
Dan kijk ik naar al het gebak dat uitgestald is.
Het water loopt me in de mond.
Ik wijs een taart aan met romig wit glazuur.
'Hier zit vast niks vies in.'
Mama lacht.
'Niks vies, nee.
Het is worteltjestaart.
De lekkerste taart ter wereld.'

7. Mijn vader bezweert Nessie als een fakir

Jack woont wel ver weg, zeg.
Dagenlang reizen.
We zitten alweer in de trein.
Deze reis duurt zeker zes uur.
En dan zijn we er nog lang niet.
M en M kijken steeds uit het raam.
Ze slaken hoge kreetjes.
'Oh, wat mooi!'
'Kijk daar eens!
Waarom stopt de trein hier?
Ik zie hier in de verste verten geen huis.
Woont hier wel iemand in deze wildernis?'
M en M hebben gelijk.
Geen land is zo groen en verlaten als Schotland, en zo nat ...
Niet normaal zoveel als het hier regent!
Er klateren beekjes langs de bergen naar beneden en vormen samen grote meren.
'Jammer dat we niet langs Loch Ness komen,' zeg ik.
'Ik wilde Nessie wel eens zien.'
Lotje lacht.
'Volgens mij zijn al die meren hetzelfde.
Als jij er een fotografeert, zet ik er thuis wel een monster in.'
Ik ben goed in foto's maken.
Lotje is juist heel goed op de computer.
Dat lukt haar wel.

Zou Jack ook goed zijn op de computer?
Hij wilde nog niet veel vertellen per mail.
'Kom zelf maar kennismaken met me,' schreef hij.
'Dat is veel leuker.
Je moeder is het helemaal met me eens.'

Ik maak wat foto's van het lange meer rechts van ons.
'Zullen we nu onszelf op de foto zetten?' zegt Lotje.
Je moet weten dat onszelf fotograferen een soort sport van ons is.
We hebben een hele serie vanaf groep vier, want zolang zijn we al vriendin.
Ik heb ze als een strook op de muur van mijn kamer geplakt.
Ik houd het toestel met gestrekte arm voor ons en knip.
'Gaaf!' zeg ik.
'Meer!' roept Lotje.
En dan gaan we helemaal los.
Ik trek een gekke bek.
Lotje trekt een nog veel gekkere bek.
We kijken naar elkaar.
Ik hang met mijn hoofd boven het hare.
Lotje ploft bij mij op schoot.
En ik doe net of mijn armen van haar zijn.
Ineens merken we dat M en M stil zijn.
Ze kijken naar ons en proberen niet te lachen.
Dat mislukt.

KLIK

Dan moeten wij ook lachen.
Ik krijg de ergste slappe lach van mijn leven.
Mama pakt mijn toestel en knipt nog een keer.

Plotseling stopt de trein.
We zijn aan het eind, in Fort William.
'Eruit!' zegt mama.
'Voor de trein weer teruggaat.'

Die nacht droom ik over Nessie.
En over Jack.
Hij speelt op zijn doedelzak.
Daarmee bezweert hij het monster alsof hij een fakir is.
Nessie komt omhoog uit het water.
En maakt dan een dansje met zijn lange nek.

8. Boven op Ben Nevis

'Vandaag reizen we niet verder,' zegt mama na het ontbijt.
Ik schrik.
'Hoezo?' roep ik.
Ik wil naar mijn vader, naar Jack McDonald.
En wel zo snel mogelijk.
'We moeten wel even van dit land genieten,' zegt Malin.
'Ik geniet maar van één ding,' zeg ik.
'En dat is doorreizen naar mijn vader.'
Mama lacht.
'We hebben anders een leuk programma voor jullie bedacht.
Je krijgt er zeker spijt van als je dit laat schieten.
Misschien ga je nooit meer naar Schotland.'
Ik spring op en zet mijn handen in mijn zij.
'Daar weet je helemaal niets van.
Het gaat wel om mijn vader, hoor.'

'Wat staat er dan op het programma?' vraagt Lotje.
Zij wil altijd overal het fijne van weten.
Malin klopt Lotje op de rug.
'Aan jou heb je nog eens wat.
We gaan de hoogste berg van Schotland beklimmen.'
Meteen betrekt Lotjes gezicht.
'Je vergist je, Malin,' zegt mama.

'Het is de hoogste berg van heel Groot-Brittannië.'
Lotje kijkt alsof ze een fles azijn heeft leeg gedronken.
Ik schiet in de lach.
'Euh, ik heb geen bergschoenen,' zegt Lotje.
Slechte smoes, denk ik bij mezelf.
'Dan zul jij met de kabelbaan moeten,' zegt Malin.
'Wat zielig voor je.'
'Helemaal in je uppie in de kabelbaan,' zeg ik om haar te plagen.
'En het is héél eng, omdat die berg héél hoog is.'
'Ga jij dan niet mee in de kabelbaan?' vraagt Lotje.
Haar stem bibbert een beetje.
Dan lachen M en M.
En ik lach mee.
'We gaan allemaal in de kabelbaan,' zegt mama.
'We zijn gewoon een heel luie familie.'
'Ik niet, hoor,' zeg ik.
'Ik hou van sport en ik ga liever lopen.
Maar dat sportieve zal ik dan wel van mijn vader hebben.'

De berg heet Ben Nevis.
Hij is echt superhoog.
Ik besluit om toch maar mee te gaan in de kabelbaan.
In je eentje klimmen is saai.
Er gaan ook fietsen mee omhoog.

Die zitten aan de buitenkant van de hokjes.
Eerst snap ik het niet.
Wie neemt er nou zijn fiets mee naar boven?
Maar even later heb ik het door.
Die fietsers scheuren keihard naar beneden, over een pad vol hobbels en bobbels.
Ze hebben wel een helm op.
En beschermers om hun benen, armen en handen.
'Niks voor mij,' zegt Malin.
'Ik zou meteen wat breken.'

Het uitzicht boven op de berg is geweldig.
Er is een eindpost en een restaurant.
We gaan een eindje wandelen over een slingerpad.
Lotje zucht en puft en steunt.
Ze doet het zacht, maar toch hoor ik haar.
Ik geef haar een stootje.
'Zet hem op, Lotje.
Je kunt het.'
'Niet duwen,' zegt Malin.
'Zo meteen valt Lotje nog.'
Malins zin eindigt in een lange kreet.
'Aaaahhhh!'
Ze heeft een slip gemaakt op de steentjes van het pad.
Ze ligt languit op de grond.
'Nou ben je zelf gevallen,' zegt mama.
'Geef me je hand, dan trek ik je omhoog tot je staat.'

'Dat gaat niet,' piept Malin.
'Au, au, au.
Mijn schouder doet ontzettend zeer.
Ik denk dat mijn arm uit de kom geschoten is.'
Mama schrikt.
Wij ook.
We zien nu pas hoe erg het is.
Malins arm ligt er heel gek bij.
'Help,' roept mama.
Maar dat helpt natuurlijk niet.
Er is niemand in de buurt.
'Lotje en ik gaan naar de eindpost terug,' zeg ik.
'Daar kan iemand ons wel helpen.'
'Au, au, au,' piept Malin.
'Doe het maar snel.'
'Maar niet zo snel dat je ook valt,' zegt mama.

Bij de eindpost zien we iemand lopen.
Het is een man in een blauw werkpak.
Gelukkig snapt hij ons meteen.
Hij pakt een koffertje en volgt ons.
Ik schaam me ervoor, maar toch denk ik aan mezelf.
Het zal toch niet zo erg met Malin zijn dat we weer naar huis moeten?
Zonder dat ik mijn vader gezien heb?

De man met het koffertje doet Malins arm in een draagdoek.
Hij geeft haar ook een pijnstiller.
'U moet naar het ziekenhuis,' zegt de man.

‘Ik bel wel een ziekenwagen.
We hebben hier op de post een draagbaar.
Ik ga die even halen.
Wacht maar, ik ben zo terug met hulp.’
En zo wordt Malin liggend naar de kabelbaan gebracht.
Heel voorzichtig gaat ze in het hokje.
Ze kreunt en steunt aan één stuk door.
Het duurt een kwartier voor we weer beneden zijn.
De ziekenwagen staat al klaar.
We mogen niet meerijden met zijn drieën.
Wij moeten op eigen houtje gaan.
Mam geeft Malin een kus.
‘Hou jc taai.
We komen eraan.
Alles komt goed.’

Aan dat laatste twijfel ik.
Ik hoop maar dat het goed komt met Malin.
Voor haar, maar ook voor mij!

9. Smekkies in alle smaken

We zijn al drie dagen in Fort William.
Met Malin gaat het best goed.
In het ziekenhuis is haar arm teruggeduwd.
Alleen kan ze helemaal niks met haar arm.
Haar rechterarm nota bene.
Ze heeft hem in een draagdoek.
Malin is net een baby.
En zo behandelen wij haar ook.
Mama moet haar aankleden.
Wij moeten haar eten klein snijden.
Of een sms'je tikken voor haar.
Zelfs van lopen heeft ze last.
Dan schokt haar schouder teveel.

We zitten aan het ontbijt.
Malin heeft havermout besteld.
Pap kan ze nog net zelf aan.
Haar eitje lepelen is te moeilijk.
Ik help haar.
'Nog een hapje voor mama,' zeg ik.
'Grr,' zegt Malin, 'wat een gedoe.
Door mij is alles verpest.'
Ik schrik en denk: álles?
'Gaan we niet naar Jack dan?'
Malin zegt niets.
'Tja,' zegt mama.
'Dat moeten we nog eens bezien.
Malin kan haar rugzak niet eens zelf dragen.'

'Maar kan Malin dan niet zolang hier blijven?'
vraag ik.
Het vliegt me naar de keel.
Mijn hele leven wil ik al een vader.
En nou gaat het misschien nog niet door.
'Ik heb een idee,' zegt Lotje.
'Als we nou eens een karretje op wielen kopen?
Dan kunnen we veel meer meenemen.
Zo hoeft Malin niks te sjouwen.
En dan kan het toch doorgaan.'
Ik zei al dat Lotje een supervriendin is.
Ik zie mama en Malin knikken.
'Maar dan heb ik ook een idee,' zegt mama.
'We stellen de beslissing nog één dag uit.
En vandaag gaan we iets leuks doen.
Van hier gaat de stoomtrein van Harry Potter.
Zin om mee te gaan?'
'Die uit de film?' gil ik.
Ineens staat mijn vader op de tweede plaats.
'Ja, die,' lacht mama.

De trein staat al klaar, als we aankomen.
Stoom blaast uit de schoorsteen en af en toe hoor
je een schelle fluit.
We hebben geluk, want er is nog plaats.
'Eerste klas,' zegt mama.
'Wij hebben een zieke bij ons.
Die moet in zachte kussens rusten.'
En zacht, dat zijn de banken!
Het is helemaal zoals in de film.
De wagon is heel ouderwets.

Zodra we vertrokken zijn, komt een kar langs.
Een dame met een schortje om geeft ons koek.
Het is nog gratis bovendien!
'Jammer dat ze geen smekkies in alle smaken heeft,' zeg ik.
'Laat ik die nou bij me hebben,' zegt mama.

Het is de leukste treinreis van mijn leven.
Hij duurt heen en terug vier uur.
Het allermooiste is de brug over het ravijn.
Ik maak wel veertig foto's.
Langs de spoorweg staan overal mensen.
'Ze kijken met verrekijkers naar ons,' gil ik.
'Naar de trein zul je bedoelen,' zegt Lotje.
Ons raampje staat open.
Af en toe waait er wat roet naar binnen.
En als we door een tunnel gaan, zitten we ineens in de mist.
'Dat is waterdamp,' zegt Lotje.
'Die komt vrij, als je kolen stookt.'
Lotje weet echt alles.

Maar de hele tijd brandt er een vraag op mijn lippen.
Aan het eind van de dag durf ik hem pas te stellen.
'En, wat doen we nou morgen?'
M en M kijken elkaar aan en lachen.
'We doen het, we gaan naar je vader.'
Ik weet dat ik vannacht lekker zal slapen.

10. Ik heb een vader!

Ik vond al dat Jack ver weg woonde.
Maar nu weet ik het zeker.
Bij hem ga je niet zomaar even op bezoek.
We hebben alweer een hele dag gereisd.
Nu zitten we eindelijk op de veerboot.
Naar Uist!
Op zee hangt een dichte mist.
Het lijkt hier wel het einde van de wereld.
Na twee uur leggen we eindelijk aan.
Ik kijk of ik Jack zie.
Is het die man met die grijze regenjas aan?
Of die met die herdershond?
Ik zoek hem tegen beter weten in.
Pas op Uist zouden we iets afspreken.

Uist lijkt wel een onbewoond eiland.
Slechts hier en daar staat een huis.
Verder bestaat het vooral uit meren en moeras.
Vogels scheren over ons hoofd.
Ons hotel is niet ver lopen.
Drijfnat van de regen komen we aan.
'En nu wil ik Jack bellen,' roep ik.
Ik hou het niet meer van de spanning.
'Goed,' lacht mama.
'Bel maar snel.'
'Mag hij ook meteen komen?' vraag ik.
'Ben je niet te moe?' vraagt mama.
'Tss,' zeg ik.

uist

'Misschien zijn jullie moe, maar ik dus echt niet.'

En dan klopt alles.
Ik bel en krijg Jack meteen aan de lijn.
Nu blijkt het toch nog lastig om elkaar te verstaan.
Hij spreekt geen Engels maar Schots!
Maar dan zeg ik dat ik zijn dochter ben.
En dat verstaat hij wel.
'Ik kom eraan,' zegt hij.

Het wachten duurt best lang.
Zo traag is de tijd nog nooit voorbij gegaan.
Ik zit in de hal van het hotel en staar naar buiten.
Hoe zal het dadelijk gaan?
Zal ik hem een kus geven?
Als hij maar niet uit zijn mond stinkt.
Zal ik hem wel herkennen?
En wat, als ik hem stom vind?
Of als hij mij stom vindt?
Duizend vragen gaan door mijn hoofd.
Lotje komt naast me zitten.
'Hoe gaat het?' vraagt ze.
'Laat me maar,' zeg ik.
'Ik ben veel te bibberig om iets zinnigs te zeggen.'

En dan zie ik hem aankomen.
Ik weet meteen dat hij het is.
Ik snap ook dat mama hem vroeger leuk vond.
Hij heeft rode krullen, net als ik.

Maar een rokje draagt hij gelukkig niet.
Hij draagt een spijkerbroek en stoere laarzen.
Om zijn nek hangt een verrekijker.
Ineens heb ik geen vragen meer.
Ik denk niet na, maar ren naar hem toe en val in zijn armen.
En hij, Jack, tilt me zomaar op.
'Een dochter!' roept hij.
'Wie had dat nou kunnen denken?'
Bij ons allebei lopen de tranen over onze wangen.
Ik zweer het.

Na minstens een half uur gaan we naar binnen.
M en M willen thee drinken met hem.
Mama is namelijk bijna net zo nieuwsgierig als ik.
Al probeert ze het te verbergen.
Volgens mij wil ze Malin niet jaloers maken.
'Het is de raarste en fijnste dag van mijn leven,' zeg ik.
'Misschien wordt morgen nog leuker,' zegt Jack.
'Dan gaan we met zijn tweetjes op stap.
Dat heb ik net met je moeder afgesproken.
We gaan dan samen vogels kijken.
En later gaan we naar mijn huisje.
Dan bak ik verse vis voor je.'
Kijk, dat bedoel ik nou.
Zo'n vader wil toch iedereen!
Ik weet nu ook wat hij voor werk doet.
Hij is tekenaar, en hij is vooral goed in dieren en planten.

Jack
McDona

Hier op Uist hoeft hij daarvoor maar naar buiten te kijken.
'En morgenavond komen jullie naar het dorpshuis,' zegt Jack.
'Daar treed ik op!'
Ik schrik.
Gaat hij toch in een rokje lopen?
'Ga je doedelzak spelen?' vraag ik.
Jack lacht.
Ik trek vast en zeker een angstig gezicht.
'Nee, hoor,' zegt Jack.
'Maar ik ben behalve tekenaar ook verteller.
Ik ken veel Schotse verhalen.
Over waar alle ruitjes vandaan komen.
Over monsters en heksen en draken.
Over woeste krijgers en mooie prinsessen.'
Ik spring op.
'Dan weet ik meteen van wie ik mijn fantasie heb.
Van jou!'
Een golf van trots welt in me op.
Ik voel me het gelukkigste meisje van de wereld.
Nou ja, van Nederland en Schotland dan.

Epiloog

Zo zie je.
Ik ben best normaal.
Ik ben elf jaar, zit in groep acht en heb een beugel.
Mijn beste vriendin is Lotje.
We houden van samen keten, winkelen in de stad en op de computer spelen.
Verder heb ik twee moeders en een supervader.
Hij woont op een eiland in Schotland.
En als je me niet gelooft, kom dan maar foto's bij me kijken.
En heb je die poster niet gezien?
Ja, hij is heel beroemd.
Grapje, hoor.
En waar ik voortaan op vakantie ga?
Nou, in Schotland natuurlijk!